TÜRKÇE
İLK BİN SÖZCÜK

Yazan: Heather Amery
Resimleyen: Stephen Cartwright

1001
ÇİÇEK
kitaplar

BİNBİR ÇİÇEK KİTAPLAR
Yuva Mahallesi 3702. Sokak No: 4 Yenimahalle / Ankara
Tel:+90-312 396 01 11 (pbx) Faks: +90-312 396 01 41
www.binbircicekkitaplar.com
bilgi@binbircicekkitaplar.com
Yayıncı Sertifika No: 12382
Matbaa Sertifika No: 13987

Kitabın özgün adı : First Thousand Words in English
Yazarı   : Heather Amery
Resimleyen   : Stephen Cartwright

Bu kitabın özgün İngilizce baskısı, 2010 yılında Usborne Publishing Ltd.,
Usborne House, 83-85 Saffron Hill, London EC 1N 8RT, England tarafından
gerçekleştirilmiştir.

© 2010, 1995, 1979, Usborne Publishing Ltd.

Nurcihan Kesim Ajans aracılığıyla yapılan anlaşma uyarınca yayınlanmıştır.

ISBN: 978-605-341-080-5
ANKARA, 2014
2. Baskı

Yayına Hazırlık : Zeynep Kopuzlu Taşdemir, Boğaç Erkan
Sayfa Düzeni   : Özlem Çiçek Öksüz
Kapak Uygulama: Mehmet Yaman
Baskı   : Ayrıntı Basım Yayım ve Matbaacılık Ltd. Şti.
                   28. Cadde, 770. Sokak No: 105/A
                   İvedik Organize Sanayi
                   Yenimahalle/Ankara

İki sayfa boyunca yer alan her büyük resimde küçük
sarı bir ördek resmi var. Bakalım bulabilecek misiniz?

Kitap Hakkında

Bu resimli sözcük kitabını tüm çocuklar keyifle okuyacaklar. Ebeveynler ve öğretmenler, bu kitabı Türkçeyi henüz öğrenmeye başlamış miniklerle paylaşırken, her sayfanın keşfedilecek, hakkında konuşulacak ve gülünecek keyifli durumlar içerdiğini görecekler.

Türkçe İlk Bin Sözcük, birçok seviyede kullanılmak üzere tasarlanmıştır. Farklı yaş ve becerideki çocuklar için eğlenceli ve ilham vericidir.

Kitabın en temel kullanımı, sayfaları keyifle çevirip hayatın çeşitli alanlarında yaşananlara göz gezdirmek ve küçük dostlarımıza hayatı anlatmak olarak tarif edilebilir. Çocuklar en sevdikleri sayfaları tanıdıkça, resimleri tarif edip gördükleri nesnelerin isimlerini söyleyebilir hale gelirler. Zaman içerisinde sözcüklerin yazılışlarını öğrenecek, bir parça yardım ve cesaretlendirme ile sözcükleri resimlerle eşleştirmeye başlayacaklar.

Yaşça daha büyük çocuklar ise bu kitabı kendi hikâyelerini yazarken kullanabilirler. Kitap onlara yeni fikirler verir ve bir yandan da sözcükleri gerektiği gibi yazmaları konusunda onlara destek olur.

Kitabın arkasında tüm sözcüklerin alfabetik sırayla yer aldığı bir sözcük listesi vardır. Bu listedeki sözcükleri seçip, çocukların sözcüğün resmini ve kitaptaki yerini bulmasını isteyebilir, sözcük ve resimlerle yeni oyunlar kurgulayabilirsiniz. Bu tür oyunlar, çocukların kitapları ve sözlükleri kullanmayı öğrenmeleri için de önemli bir alıştırma olacaktır.

Unutmayın, bu kitabın içinde bin sözcük var ve bu bin sözcük, size ve küçük dostunuza eğlenceli saatler vadediyor.

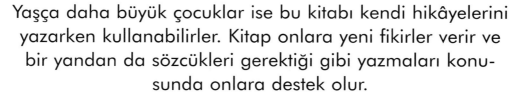

Ev

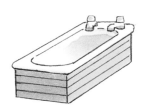
küvet

sabun

musluk

tuvalet kâğıdı

diş fırçası

su

tuvalet

sünger

lavabo

duş

havlu

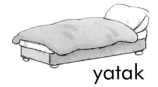
yatak

Banyo

Oturma odası

diş macunu

radyo

yastık

CD

halı

kanepe

4

 sandalye

 yorgan

 tarak

 çarşaf

kilim

 gardırop

Yatak odası

yastık

 şifoniyer

 ayna

 fırça

 lamba

Hol

resim

 askı

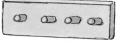 telefon

 radyatör

video kaset

gazete

masa

 mektup

 merdiven

5

Mutfak

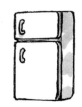

buzdolabı

bardak

saat

tabure

çay kaşığı

elektrik düğmesi

deterjan

anahtar

kapı

lavabo

elektrikli süpürge

tencere

çatal

önlük

ütü masası

çöp

6

 su ısıtıcısı

 bıçak

paspas

toz bezi

fayans

süpürge

 çamaşır makinesi

 faraş

 çekmece

 fincan tabağı

tava

 fırın

 kaşık

 tabak

 ütü

 dolap

 kurulama bezi

fincan

kibrit

 fırça

kâse

Bahçe

çiçek sulama kabı

el arabası

arı kovanı

salyangoz

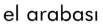
tuğla

güvercin

kürek

uğur böceği

çöp kovası

tohum

kulübe

solucan

çiçek

fıskiye

kürek

eşek arısı

8

arı

mala

kemik

çalı

yaba

çim biçme makinesi

patika

yaprak

ağaç

duman

tırtıl

tırmık

kuş yuvası

ağaç dalı

çimen

bebek arabası

merdiven

ateş

hortum

sera

9

Atölye

vida

mengene

zımpara kâğıdı

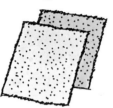
matkap

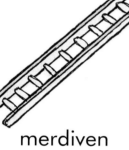
merdiven

testere

testere talaşı

takvim

alet çantası

tornavida

tahta

yonga

çakı

10

raptiye

örümcek

vida

cıvata

örümcek ağı

fıçı

sinek

balta

mezura

çekiç

eğe

boya kovası

odun

çivi

tezgâh

kavanoz

planya

11

Sokak

market

çukur

kafe

ambulans

kaldırım

anten

baca

çatı

kepçe

otel

otobüs

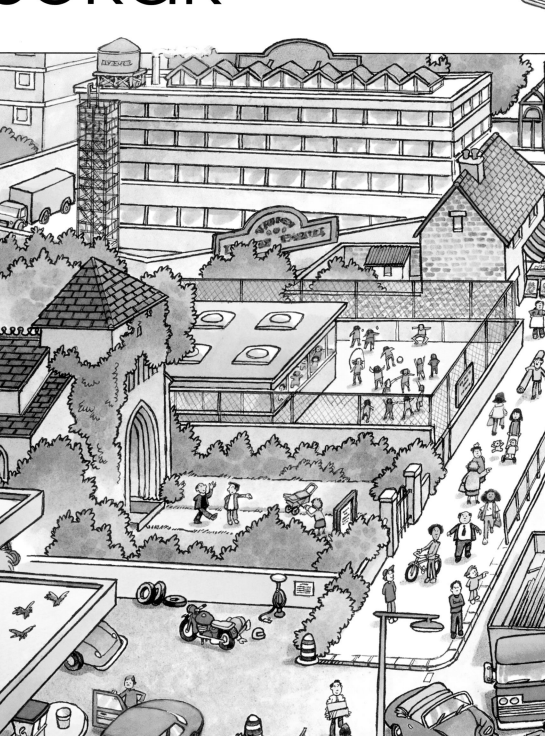

adam

polis arabası

boru

elektrikli matkap

okul

çocuk bahçesi

taksi

yaya geçidi

fabrika

kamyon

trafik ışığı

sinema

kamyonet

silindir

el arabası

ev

pazar

basamak

motosiklet

apartman

bisiklet

itfaiye arabası

polis

araba

kadın

sokak lambası

Oyuncakçı

oyuncak tren seti

zar

flüt

robot

davul

kolye

fotoğraf makinesi

boncuk

oyuncak bebek

gitar

yüzük

oyuncak bebek evi

armonika

düdük

oyun küpü

kale

denizaltı

trompet

ok

14

yay

paraşüt

oyuncak gemi

yüz boyası

silindir

maske

yarış arabası

oyuncak at

kumbara

bilye

kukla

piyano

astronot

vinç

oyun hamuru

tüfek

asker

boya

roket

15

Park

salıncak

kum havuzu

piknik

uçurtma

dondurma

köpek

bahçe kapısı

yaya yolu

kurbağa

kaydırak

bank

kurbağa
yavrusu

göl

paten

çalı

16

bebek

kaykay

toprak

çocuk arabası

tahterevalli

çocuk

üç tekerlekli bisiklet

kuş

çit

top

kayık

ip

su birikintisi

ördek yavrusu

atlama ipi

çiçek yatağı

kuğu

tasma

ördek

ağaç

17

Hayvanlar

kanat

kartal

su aygırı

panda

yarasa

goril

pati

kanguru

maymun

buz dağı

penguen

kuyruk

kurt

tüy

timsah

ayı

pelikan

devekuşu

yunus

aslan

aslan yavrusu

zürafa

boynuz

geyik

deve

fok balığı

kutup ayısı

kaplumbağa

hortum

fil

gergedan

bizon

kunduz

keçi

zebra

yılan

köpek balığı

balina

kaplan

leopar

19

Seyahat

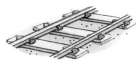
tren rayı

helikopter

lokomotif

tampon

vagon

makinist

yük treni

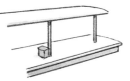
platform

kondüktör

bavul

bilet makinesi

Tren İstasyonu

Yakıt İstasyonu

sinyal

sırt çantası

far

motor

tekerlek

akü

20

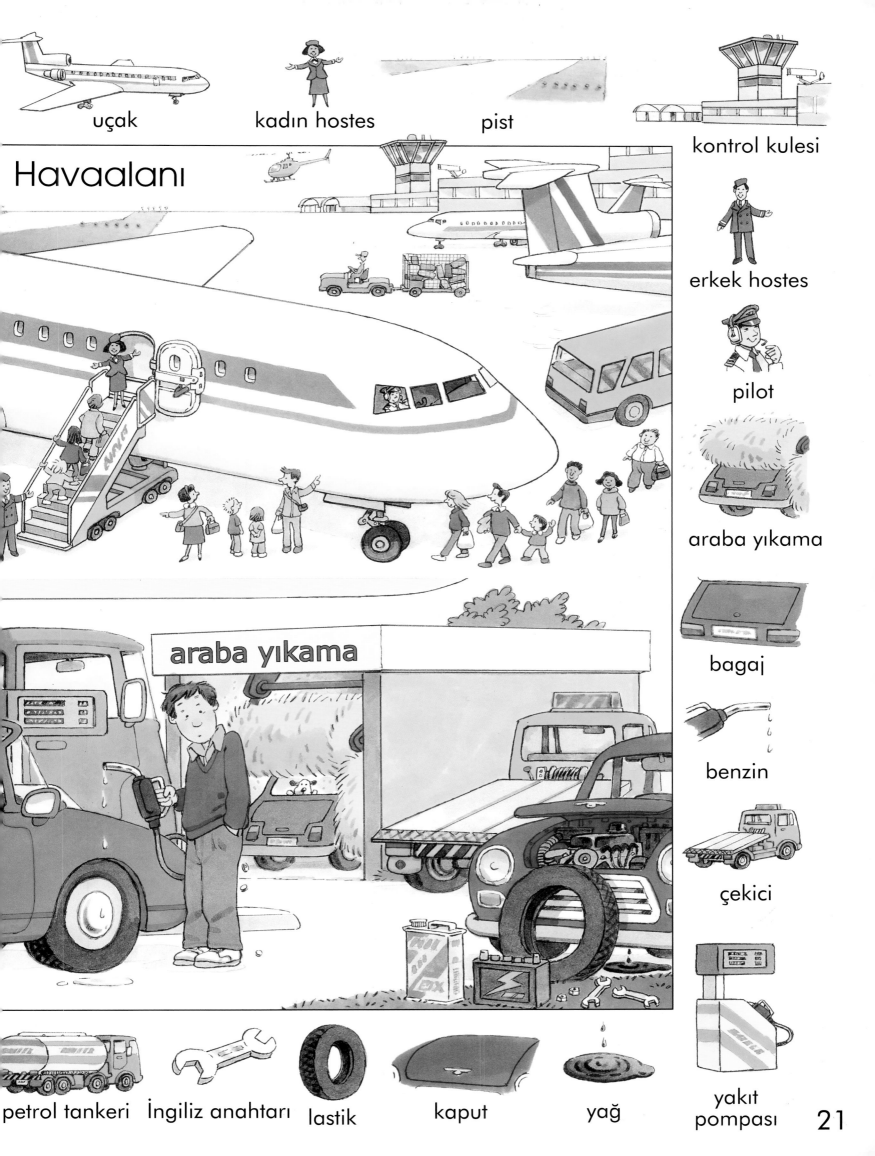

uçak

kadın hostes

pist

Havaalanı

kontrol kulesi

erkek hostes

pilot

araba yıkama

araba yıkama

bagaj

benzin

çekici

petrol tankeri

İngiliz anahtarı

lastik

kaput

yağ

yakıt pompası

Kasaba

değirmen

sıcak hava balonu

kelebek

kertenkele

taş

tilki

dere

işaret levhası

kirpi

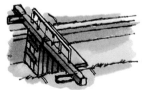
bent

dağ

sincap

orman

porsuk

nehir

yol

çadır

kanal

kütük

kasaba

gece kelebeği

köprü

mavna

şelale

baykuş

tünel

tilki yavrusu

köstebek

balıkçı

kaya

kurbağa

tren

karavan

tepe

Çiftlik

tınaz

ş

horoz

çoban köpeği

ördek

kuzu

göl

civciv

samanlık

ahır

boğa

ördek yavrusu

tavuk kümesi

24   traktör

kaz

tanker

ambar

çamur

el arabas

çiftçi

tarla

tavuk

buzağı

çit

eyer

inek ahırı

inek

pulluk

meyve bahçesi

ahır

domuz yavrusu

çoban

hindi

korkuluk

çiftlik evi

saman

koyun

saman balyası

at

domuz

25

Plaj

yelkenli

deniz

kürek

fener

kürek

kova

deniz yıldızı

kumdan kale

şemsiye

bayrak

denizci

deniz kabuğu

yengeç

martı

ada

motorbot

su kayağı

26

dalga

şapka

kayalık

gemi

kano

halat

çakıl taşı

yosun

ağ

kürek

balıkçı teknesi

palet

eşek

balık

şezlong

mayo

petrol tankeri

kum

sandal

27

makas

hesaplama yapmak

silgi

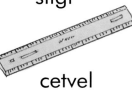
cetvel

fotoğraf

keçeli kalem

raptiye

sulu boya

oğlan

kurşun kalem

Okul

yazı tahtası

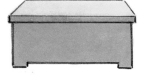
masa

kitap

dolma kalem

tutkal

tebeşir

resim

28

çöp kovası

öğretmen

kutu

harita

fırça

tavan

duvar

zemin

defter

a b c ç d e f
g ğ h ı i j k l
m n o ö p r
s ş t u ü v y z

a b c ç d e
f g ğ h ı i j k
l m n o ö p r
s ş t u ü v y z

alfabe

rozet

akvaryum

kâğıt

jaluzi

kapı kolu

bitki

küre

kız

mum boya

lamba

yazı tahtası

Hastane

hastabakıcı

pamuk

ilaç

asansör

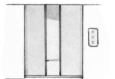
sabahlık

koltuk değneği

hap

tepsi

saat

termometre

perde

oyuncak ayı

elma

alçı

bandaj

tekerlekli sandalye

puzzle

doktor

şırınga

30

Doktor

terlik

bilgisayar

yara bandı

muz

üzüm

sepet

oyuncak

armut

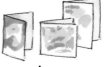
kart

bebek bezi

baston

bekleme salonu

televizyon   gecelik   pijama   portakal   kâğıt mendil   mizah dergisi

Parti

balon

çikolata

şeker

pencere

havai fişek

kurdele

pasta

hediye

pipet

mum

kâğıt süsü

oyuncak

32

mandalina

salam

kaset

sosis

cips

kostüm

vişne

meyve suyu

ahududu

çilek

ampul

sandviç

yağ

bisküvi

peynir

ekmek

masa örtüsü

33

Market

greyfurt

havuç

karnabahar

pırasa

mantar

salatalık

limon

kereviz

kayısı

kavun

alışveriş torbası

PEYNİR

MEYVE - SEBZE

soğan

lahana

şeftali

kıvırcık

bezelye

domates

 yumurta

 erik

un

 terazi

kavanoz

 et

 ananas

 yoğurt

sepet

şişe

 el çantası

cüzdan

 para

 konserve

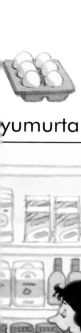

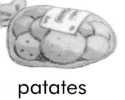 patates

 ıspanak

fasulye

 kasa

 bal kabağı

 alışveriş arabası

Yiyecekler

öğlen yemeği

kahvaltı

haşlanmış
yumurta

tost

reçel

kahve

sahanda
yumurta

sıcak çikolata

krema

kahvaltılık gevrek

şeker

süt

bal

karabiber

tuz

çay

çaydanlık

krep

hamburger ekmeği

akşam yemeği

jambon

çorba

omlet

salata

yemek
çubuğu

hamburger

tavuk

pirinç

ketçap

spagetti

patates püresi

pizza

patates kızartması

tatlı

37

Ben

kafa

saç

yüz

kol

dirsek

karın

ayak parmağı

ayak

bacak

diz

kaş

göz

burun

yanak

ağız

dudak

diş

dil

çene

kulak

boyun

omuz

göğüs

sırt

popo

el

başparmak

parmak

Elbiselerim

çorap

külot

fanila

pantolon

kot pantolon

tişört

etek

gömlek

kravat

şort

külotlu çorap

elbise

kazak

svetşört

hırka

atkı

mendil

tenis
ayakkabısı

ayakkabı

sandalet

bot

eldiven

kemer

kemer
tokası

fermuar

ayakkabı
bağı

düğme

düğme deliği

cep

palto

ceket

şapka

şapka

Meslekler

şef

dansçı

aktör   aktris

şarkıcı

astronot

polis

kasap

marangoz

itfaiyeci

ressam

hakim

tamirci

berber

kamyon şoförü

otobüs şoförü

diş hekimi

dalgıç

erkek
garson

kadın
garson

postacı

boyacı

fırıncı

Aile

oğul /
erkek
kardeş

kız
evlat /
kız kardeş

anne /
eş (kadın)

baba /
eş (erkek)

teyze /
hala

amca /
dayı

kuzen

büyükbaba

büyükanne

41

Eylemler

gülmek

gülümsemek

ağlamak

düşünmek

dinlemek

yakalamak

atmak

kırmak

boyamak

yazmak

baltayla kesmek

kesmek

yemek

konuşmak

kazmak

taşımak

içmek

yapmak

atlamak

dans etmek

yıkamak

örgü örmek

emeklemek

oynamak

izlemek

tırmanmak

dövüşmek

uyumak

almak

dikmek

ip atlamak

beklemek

yemek yapmak

saklanmak

okumak

satın almak

itmek

süpürmek

şarkı söylemek

koparmak

üflemek

çekmek

düşmek

yürümek

koşmak

oturmak

43

Karşıt Sözcükler

iyi

kötü

üst

alt

soğuk

sıcak

uzak

yakın

ıslak

kuru

üzerinde

altında

kirli

temiz

şişman

zayıf

açık

kapalı

küçük

büyük

az

çok

birinci

sonuncu

sol

44

dışarıda

içeride

kolay

zor

boş

dolu

yumuşak

sert

ön

yüksek

yavaş

hızlı

arka

alçak

uzun

kısa

ölü

canlı

karanlık

aydınlık

eski

yukarı

yeni

sağ

aşağı

Günler

pazartesi

salı

çarşamba

perşembe

cuma

cumartesi

pazar

takvim

sabah

güneş

akşam

gece

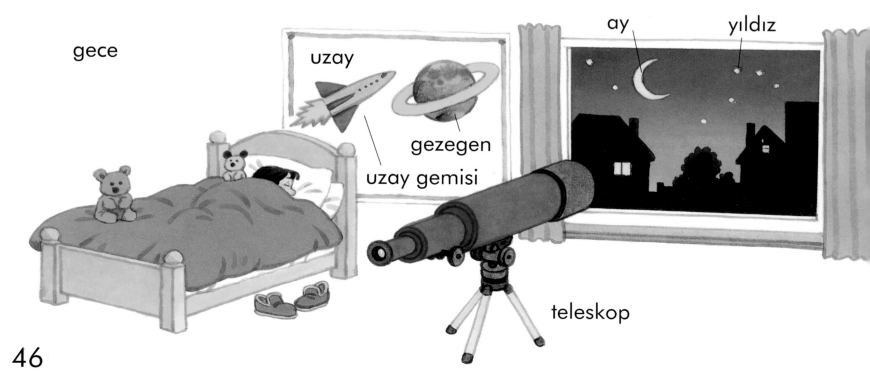

uzay

gezegen

uzay gemisi

ay

yıldız

teleskop

46

Özel günler

doğum günü

hediye

mum

tebrik kartı

doğum günü pastası

tatil

düğün

nedime

gelin   damat

fotoğraf makinesi

fotoğrafçı

yılbaşı

ren geyiği

kızak

Noel Baba

yılbaşı ağacı

Hava

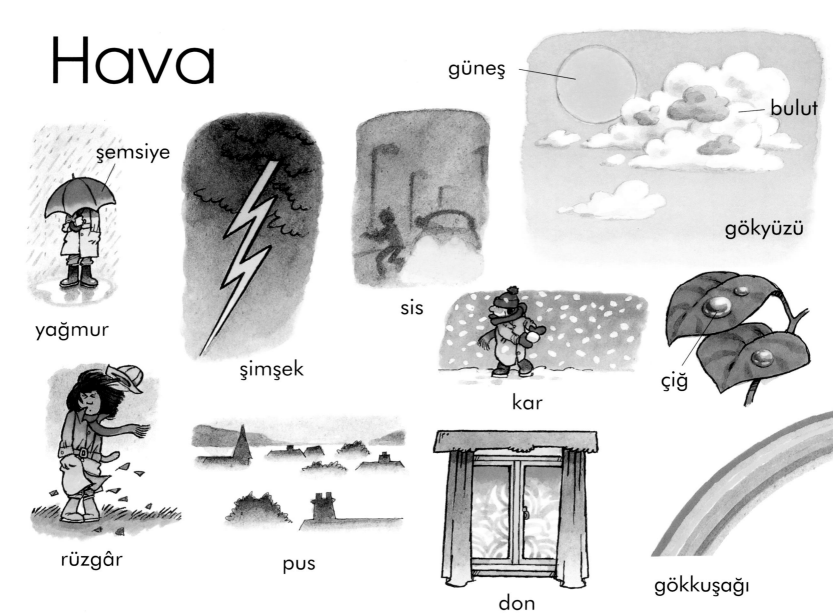

güneş

bulut

şemsiye

gökyüzü

yağmur

şimşek

sis

kar

çiğ

rüzgâr

pus

don

gökkuşağı

Mevsimler

ilkbahar

yaz

sonbahar

kış

48

Evcil hayvanlar

veteriner

hamster

köpek kulübesi

hintdomuzu

köpek yavrusu

köpek

muhabbet kuşu

yemek

papağan

gaga

kanarya

kafes

tavşan

kedi

sepet

kedi yavrusu

fare

süt

Japon balığı

49

Spor ve Etkinlikler

basketbol

kürek çekmek

yelken

rüzgâr sörfü

snowboard

karate

raket

tenis

Amerikan futbolu

jimnastik

kriket oyunu

beyzbol sopası

top

olta

balık tutmak

yem

ragbi

dans

beyzbol

balıklama atlamak

yüzme havuzu

koşu yarışı

yüzmek

okçuluk

hedef tahtası

asılı planör uçuşu

kask

judo

tempolu koşu

bisiklet sürmek

tırmanma

soyunma dolabı

at

midilli

soyunma odası

futbol

binicilik

badminton

masa tenisi

buz pateni

patinaj

kayak pisti

teleferik

kayak

kayak yapmak

sumo güreşi

51

Renkler

turuncu

yeşil

siyah

gri

kırmızı

kahverengi

pembe

beyaz

mavi

mor

sarı

Şekiller

karo

koni

dikdörtgen

daire

yıldız

küp

oval

üçgen

kare

hilal

52

Sayılar

1	bir
2	iki
3	üç
4	dört
5	beş
6	altı
7	yedi
8	sekiz
9	dokuz
10	on
11	on bir
12	on iki
13	on üç
14	on dört
15	on beş
16	on altı
17	on yedi
18	on sekiz
19	on dokuz
20	yirmi

Luna Park

atlıkarınca

paspas

kaydırak

dönme dolap

korku treni

patlamış mısır

halka oyunu

lunapark hız treni

atış poligonu

çarpışan arabalar

pamuk şeker

Sirk

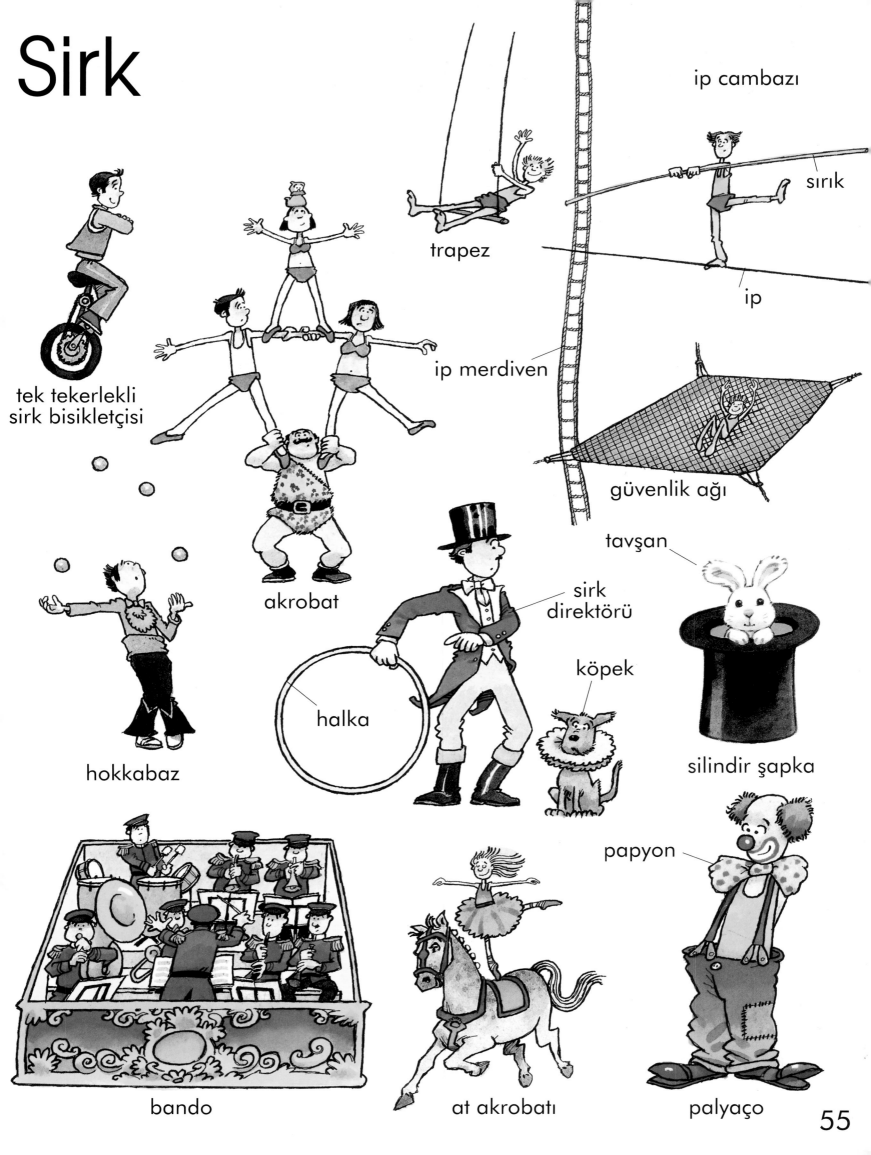

ip cambazı

sırık

trapez

ip

ip merdiven

güvenlik ağı

tek tekerlekli
sirk bisikletçisi

tavşan

akrobat

sirk
direktörü

köpek

halka

hokkabaz

silindir şapka

papyon

bando

at akrobatı

palyaço

55

Sözcükler

Bu, resimli sayfalardaki tüm sözcüklerin bir listesidir. Sözcükler alfabetik olarak sıralanmıştır. Sözcüklerin yanındaki sayılar, sayfa numaralarını gösterir. Belirtilen sayfalarda sözcüğü ve resmi birlikte görebilirsiniz.

a

açık 44
ada 26
adam 12
ağ 27
ağaç 9, 17
ağaç dalı 9
ağız 38
ağlamak 42
ahır 24, 25
ahududu 33
akrobat 55
akşam 46
akşam yemeği 37
aktör 40
aktris 40
akü 20
akvaryum 29
alçak 45
alçı 30
alet çantası 10
alfabe 29
alışveriş arabası 35
alışveriş torbası 34
almak 43
alt 44
altı 53
altında 44
ambar 24
ambulans 12
amca / dayı 41
Amerikan futbolu 50
ampul 33

anahtar 6
ananas 35
anne / eş (kadın) 41
anten 12
apartman 13
araba 13
araba yıkama 21
arı 9
arı kovanı 8
arka 45
armonika 14
armut 31
asansör 30
asılı planör uçuşu 51
asker 15
askı 5
aslan 18
aslan yavrusu 18
astronot 15, 40
aşağı 45
at 25, 51
at akrobatı 55
ateş 9
atış poligonu 54
atkı 39
atlama ipi 17
atlamak 42
atlıkarınca 54
atmak 42
ay 46
ayak 38
ayak parmağı 38
ayakkabı 39
ayakkabı bağı 39
aydınlık 45
ayı 18
ayna 5
az 44

b

baba / eş (erkek) 41
baca 12

bacak 38
badminton 51
bagaj 21
bağı 39
bahçe kapısı 16
bal 36
bal kabağı 35
balık 27
balık tutmak 50
balıkçı 23
balıkçı teknesi 27
balıklama atlamak 50
balina 19
balon 32
balta 11
baltayla kesmek 42
bandaj 30
bando 55
bank 16
bardak 6
basamak 13
basketbol 50
baston 31
başparmak 38
bavul 20
baykuş 23
bayrak 26
bebek 17
bebek arabası 9
bebek bezi 31
bekleme salonu 31
beklemek 43
bent 22
benzin 21
berber 41
beş 53
beyaz 52
beyzbol 50
beyzbol sopası 50
bezelye 34
bıçak 7
bilet makinesi 20
bilgisayar 31

bilye 15
binicilik 51
bir 53
birinci 44
bisiklet 13
bisiklet sürmek 51
bisküvi 33
bitki 29
bizon 19
boğa 24
boncuk 14
boru 12
boş 45
bot 39
boya 15
boya kovası 11
boyacı 41
boyamak 42
boynuz 19
boyun 38
bulut 48
burun 38
buz dağı 18
buz pateni 51
buzağı 25
buzdolabı 6
büyük 44
büyükanne 41
büyükbaba 41
canlı 45

C - Ç

CD 4
ceket 39
cep 39
cetvel 28
cıvata 11
cips 33
civciv 24
cuma 46
cumartesi 46
cüzdan 35

çadır 23
çakı 10
çakıl taşı 27
çalı 9, 16
çamaşır makinesi 7
çamur 24
çarpışan arabalar 54
çarşaf 5
çarşamba 46
çatal 6
çatı 12
çay 36
çay kaşığı 6
çaydanlık 36
çekici 21
çekiç 11
çekmece 7
çekmek 43
çene 38
çiçek 8
çiçek sulama kabı 8
çiçek yatağı 17
çiftçi 25
çiftlik evi 25
çiğ 48
çikolata 32
çilek 33
çim biçme makinesi 9
çimen 9
çit 17
çit 25
çivi 11
çoban 25
çoban köpeği 24
çocuk 17
çocuk arabası 17
çocuk bahçesi 12
çok 44
çorap 39
çorba 37
çöp 6
çöp kovası 8, 29
çukur 12

d

dağ 22
daire 52
dalga 27
dalgıç 41
damat 47
dans 50
dans etmek 42
dansçı 40
davul 14
defter 29
değirmen 22
deniz 26
deniz kabuğu 26
deniz yıldızı 26
denizaltı 14
denizci 26
dere 22
deterjan 6
deve 19
devekuşu 18
dışarıda 45
dikdörtgen 52
dikmek 43
dil 38
dinlemek 42
dirsek 38
diş 38
diş fırçası 4
diş hekimi 41
diş macunu 4
diz 38
doğum günü 47
doğum günü pastası 47
doktor 30
dokuz 53
dolap 7
dolma kalem 28
dolu 45
domates 34
domuz 25
domuz yavrusu 25

DİĞER DİLLERDEKİ
İLK BİN SÖZCÜK KİTAPLARI

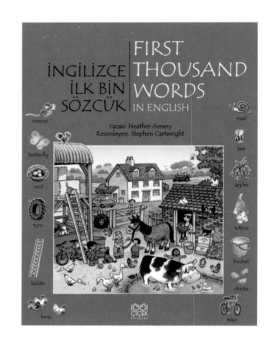

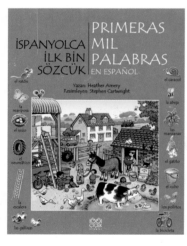

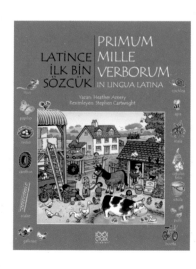

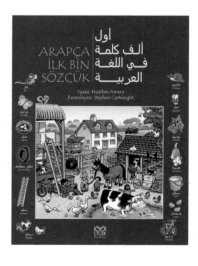